NOTAICHEAN AN TURAIS

Leabhar-sgrìobhaidh
Stuthan Seasmhach / Dèante am Breatainn

Gu Bronwen agus David, luchd-siridh mhathan – **M. R.**

Do Sam Williams – **D. R.**

Foillseachadh Bloomsbury, Lunnainn, Oxford, New Iorc, New Delhi agus Sydney

A' chiad fhoillseachadh sa Bheurla 2016 ann am Breatainn le
Bloomsbury Publishing Plc, 50 Bedford Square, Lunnainn WC1B 3DP

www.bloomsbury.com

© an teacsa Michelle Robinson 2016   © nan dealbhan David Roberts 2016

Tha Michelle Robinson agus David Roberts a' dleasadh an còraichean a bhith
air an aithneachadh mar ùghdar agus neach-deilbh na h-obrach seo.

A' chiad fhoillseachadh sa Ghàidhlig an 2017 le Acair Earranta
An Tosgan, Rathad Shìophoirt, Steòrnabhagh, Eilean Leòdhais HS1 2SD

info@acairbooks.com   www.acairbooks.com

© an teacsa Ghàidhlig Acair, 2017

An tionndadh Gàidhlig Johan Nic a' Ghobhainn   An dealbhachadh sa Ghàidhlig Mairead Anna NicLeòid

Na còraichean uile glèidhte.

Chan fhaodar pàirt sam bith dhen leabhar seo ath-riochdachadh an cruth sam bith,
a stòradh ann an siostam a dh'fhaodar fhaighinn air ais, no a chur a-mach air
dhòigh sam bith, eileactronaigeach, meacanaigeach, samhlachail, clàraichte
no ann am modh sam bith eile gun chead ro-làimh bhon fhoillsichear.

Tha Acair a' faighinn taic bho Bhòrd na Gàidhlig.

Fhuair Urras Leabhraichean na h-Alba taic airgid bho Bhòrd na Gàidhlig
le foillseachadh nan leabhraichean Gàidhlig Bookbug.

Gheibhear clàr catalog CIP airson an leabhair
seo ann an Leabharlann Bhreatainn.

LAGE/ISBN 978 0 86152 445 7

Clò-bhuailte ann an Sìona le C & C Offset Printing Co Earranta,
Shenzhen, Guangdong   1 3 5 7 9 10 8 6 4 2

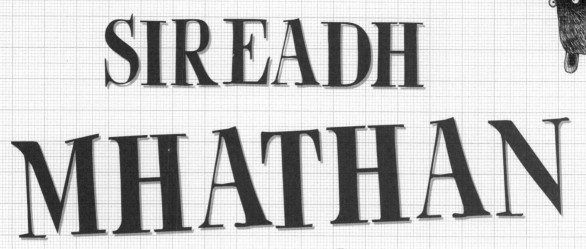

SIREADH
MHATHAN

do

Fhìor Luchd-tòiseachaidh

Air a sgrìobhadh le
Michelle
Robinson

Dealbhan le
David Roberts

A' dol cuairt ann an dùthaich nam MATHAN?

'S fheàrr dhut a bhith eòlach air do chuid mhathan.

Is e mathan **dubh** a tha seo.

[DEALBH 1. MATHAN DUBH, URSUS AMERICANUS.]

Is e mathan **ruadh** a tha seo.

[DEALBH 2. MATHAN RUADH, URSUS HORIBILIS.]

Agus
tha sin ...

. . . dìreach GÒRACH.

Cha chreid mi gu bheil thu a' sealltainn cus ùidh sa ghnothach.
Ach bu chòir dhut.

Is urrainn do mhathain a bhith GLÈ chunnartach.

Ma thèid thu troimh-a-chèile leotha, dh'fhaodadh fear seach fear dhiubh **d' ithe**.

A-NISE, a bheil thu ag èisteachd?

Seo am fiosrachadh a dh'fheumas a bhith agad mus tòisich thu a' coiseachd:

Tha mathain **dhubha**   Tha mathain **ruadha**
cunnartach   cunnartach
agus DUBH.   agus RUADH.

Ach uaireannan is urrainn do mhathain **ruadha** a bhith rudeigin DUBH . . .

. . . agus mathain **dhubha** a bhith rudeigin RUADH.

. . . Na gabh dragh ge-tà.
Is iongantach gum FAIC
thu mathan co-dhiù.

Nach BUIDHE dhut!

Cha chreid mi nach e
fear **dubh** a th' ann...

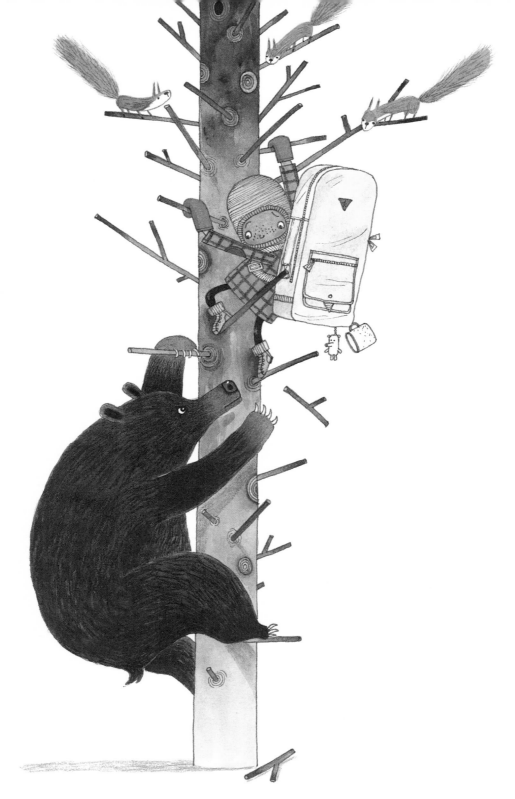

Is ionganatch mur e.

CHAN URRAINN do mhathain **ruadha** craobhan a shreap.

An robh fios agad gun robh 400 punnd de
chuideam anns na mathain **dhubha**?

’S e an rud as fheàrr dèanamh le

mathan **dubh**, coiseachd air falbh air *do shocair*.

Nach tu a rinn MATH.

Fhuair thu lorg air mathan **ruadh** cuideachd!

'S e toirt a chreidsinn gu bheil thu **marbh** an rud as fheàrr a nì thu le mathan **ruadh**.

Ach, do mhathan **dubh**, tha sin mar chuireadh gu dinnear.

Dh'fhaodadh gur e àm math a tha seo airson stealladh piobair.

Obraichidh stealladh piobair air GACH beathach.
Tha e a' toirt **luairean** orra.

Air neo 's dòcha an **t-acras**?

Gu CINNTEACH b' e an t-acras a bh' ann.

A bheil lite agad?

CAGNAIRE?!

Dè bhon ghrèin a tha thu a' dol a dhèanamh
le pacaid de **chagnaire**?

POP!

Nach mi a bha gòrach!
Carson nach do smaoinich mise air an sin?

Ruith!

*Aig peilear
do bheatha!*

Och, gràin!

Uill, cha smaoinich mise air a' chòrr.
A bheil càil *eile* agad sa bhaga sin?

Chan eil.

Ro SPAIDEIL.

Cha bhi sin gu
CÀIL a dh'fheum.

Dè a thuirt mi riut mun
rud gòrach sin?

Tha e bog agus tha e gòrach agus tha e . . .

...MÌORBHAILEACH!

Tha e ag obair!

Uill, bha mi air mo mhealladh!

Is urrainn do mhathain
a bhith cunnartach . . .

. . . ach is urrainn dhaibh cuideachd
a bhith glè, *glè* laghach.